FOLIO CADET

Du même auteur

Ma petite sœur et moi
L'anniversaire de ma petite sœur

Traduit de l'anglais
par Anne Krief

Maquette : Karine Benoit

ISBN : 978-2-07-064243-4
Titre original : *Iggy and me on Holiday*
Édition originale publiée par HarperCollins Children's Books, 2010

N° d'édition : 184879
Loi n° 49-956 du 16 juillet 1949 sur les publications destinées à la jeunesse
Dépôt légal : avril 2012
Imprimé en Espagne par NOVOPRINT (Barcelone)

Jenny Valentine

Ma petite sœur et moi en vacances

illustré par Joe Berger

GALLIMARD JEUNESSE

■ CHAPITRE 1 ■■■

Dernier jour d'école

C'était la fin de l'année scolaire pour moi et ma petite sœur, Coco.

Coco n'était pas d'accord. Elle a manifesté son inquiétude au cours du petit déjeuner.

– Et qui va s'occuper des hamsters et des cochons d'Inde ?

– Quelqu'un les prendra chez lui, a répondu maman.

– Et que vont faire toutes les maîtresses ?

– Quelqu'un prendra aussi les maîtresses chez lui, a dit papa. Comme ça, elles pourront se reposer en paix.

– Et nous, alors ? a insisté Coco. Qu'est-ce qu'on va faire pendant ce temps-là ?

– Oh, c'est sûr que pour le repos et la paix, ce sera raté ici, a répliqué papa.

– On va s'amuser, ai-je déclaré.

– Flo, m'a répondu Coco comme si elle s'adressait à une idiote, c'est à l'école qu'on s'amuse !

– En vacances aussi, a risqué maman. Nous allons prendre des vacances.

– Ah bon ? s'est étonné papa.

– Et qu'est-ce qu'on fera en vacances ? a repris Coco en haussant très haut les épaules et en affichant une moue boudeuse.

– Nous t'enfermerons dans une boîte et t'en sortirons le jour de la rentrée, a dit papa.

– Ça m'étonnerait, a pesté Coco en le foudroyant du regard.

– On se réveillera à l'heure qu'on veut, ai-je dit. On regardera la télé et on restera en pyjama toute la journée.

– Alors ça, sûrement pas ! a riposté maman.

– Mais c'est le rêve..., a dit papa.

– Nous ferons du vélo, ai-je proposé, nous irons pique-niquer, jouer au terrain de jeu et mangerons des glaces.

– D'accord, a répondu Coco. Ça m'a l'air sympa.

Papa préparait du café et maman buvait son thé. Moi, je mangeais ma tartine tandis que Coco écoutait ses céréales crépiter dans son bol.

– Elles durent combien de temps, nos vacances ? a demandé Coco.

– Six semaines, a répondu maman.

– Six semaines ? Mais c'est des siècles !

– Non, pas du tout, a dit maman. C'est un mois et demi.

– C'est quarante-deux jours, a ajouté papa en nous regardant toutes les deux avant de se tourner vers maman.

– C'est effectivement assez long, a admis maman.

– Tu verras, nous allons passer de très bonnes longues vacances, ai-je rassuré Coco.

Ce matin-là, ma petite sœur a marché très très vite jusqu'à l'école car elle voulait y arriver tôt.

– Dépêchez-vous, nous disait-elle à maman et à moi. On n'a plus qu'un seul jour de classe et c'est aujourd'hui.

Elle marchait si vite que tout son petit corps s'agitait et tressautait comme un pantin désarticulé, ce qui était très amusant

vu de dos. Ça nous a bien fait rire. Mais pas Coco qui s'est retournée vers nous et nous a menacées, le doigt tendu. Coco pointe toujours l'index droit avant quand elle est fâchée.

– Dépêchez-vous ! nous a-t-elle ordonné. Vite !

Nous lui avons obéi.

Nous sommes arrivées particulièrement en avance à l'école. J'ai conduit Coco dans sa classe, où il n'y avait personne d'autre que sa maîtresse, Naïma, qui taillait déjà des crayons.

– Tu le savais, toi, que c'était notre dernier jour d'école ? lui a demandé Coco.

– Oui, bien sûr, a-t-elle répondu avec un grand sourire jusqu'au moment où elle a remarqué la mine de ma sœur.

– Qu'est-ce que nous allons faire pendant quarante-deux jours et six semaines ? s'est lamentée Coco.

– Nous trouverons bien quelque chose, a répondu gentiment Naïma en déposant le taille-crayon dans une coupe.

– J'espère ! J'espère bien !

C'était un très bon dernier jour de classe. Le matin, nous avons travaillé comme d'habitude. À midi, nous avons eu pour déjeuner des plats de tous les pays. Nous avons mangé des produits qui venaient d'Inde, du

Maroc, de France, de Somalie, de Pologne et de Bosnie. En général, c'était délicieux.

Ensuite, nous avons eu temps libre, ce qui est un peu comme une récréation, mais sous un autre nom. Nous pouvions choisir de jouer au foot, de faire de l'aérobic ou simplement des activités de travaux manuels. J'ai choisi les travaux manuels, et Coco aussi. Il y avait des puzzles, des découpages, de la décoration de petits gâteaux. Coco a choisi les gâteaux à décorer. J'ai fait un dessin pour maman et papa : la plage avec la mer bleue, le ciel bleu, du vrai sable versé sur de la colle, et nous quatre (je nous avais dessinés, découpés et collés sur l'image) en vacances.

Pendant que j'étais occupée à dessiner, découper et coller, Coco est venue voir ce que je fabriquais. Elle avait des miettes de biscuit autour de la bouche et du glaçage plein les doigts.

– Qu'est-ce que tu fais ? m'a-t-elle demandé en mettant des miettes partout.

– Je dessine les vacances.

– Qui c'est, là ? a-t-elle encore demandé en s'essuyant la bouche sur sa manche.

– C'est toi, moi, maman et papa. En vacances au bord de la mer.

– Ah, bon ? On nage dans la mer, on ramasse des coquillages et on fait des châteaux de sable ?

– Oui.

– Mmmm, je crois que j'aime bien ça.

– Moi aussi, ai-je répondu.

Puis nous avons contemplé mon dessin encore quelques instants.

– J'ajouterai tout à l'heure des coquillages et des châteaux de sable.

– Et une étoile de mer. Dessine une étoile de mer et une sirène, a dit ma sœur.

Coco adore dessiner des sirènes et inventer des histoires avec des sirènes. Il y a des jours où elle aimerait beaucoup en être une elle-même. Il y a des jours où elle regrette vraiment d'avoir des jambes.

– Peut-être que cet été nous irons en vacances au bord de la mer. Toi, moi, papa, maman, comme sur mon dessin. Ça fait des siècles que nous n'avons pas vu la mer !

Coco a pincé les lèvres et secoué la tête. Elle avait l'air extrêmement sérieuse et solennelle.

– Je ne suis pas sûre d'avoir des vacances, m'a-t-elle chuchoté à l'oreille, comme quand elle me confie un secret.

– Ah, bon ? Pourquoi ?

– Parce que Naïma a une mission importante pour moi.

– Quel genre de mission ?

– Je viens de te dire, une mission importante.

– J'ai compris, mais quel genre de mission ?

Elle a haussé les épaules.

– Naïma a dit que c'était pour tout l'été.

– Ah…

Coco n'avait pas quitté des yeux mon dessin.

– Je crois que je vais être trop occupée pour aller à la plage.

Quelle pouvait être cette fameuse mission ?

– Il faudra que tu t'occupes des cochons d'Inde ?

– Non, a-t-elle répondu en secouant la tête, c'est Joseph Verda qui les prend.

– Le hamster ?

– Non, pas Gronchon.

– Quoi d'autre alors ?

– Ce ne sont pas les poissons non plus, parce qu'ils vont rester à l'école et c'est la dame qui fait le ménage qui leur donnera à manger.

– Qu'est-ce que ça peut être ?

Coco a de nouveau haussé les épaules et les sourcils le plus haut possible.

– Je n'en sais rien, a-t-elle répondu, mais ça doit être très important.

À la fin de la journée, j'ai attendu Coco et maman dans la cour de récréation. Nous étions obligés d'emporter à la maison tous nos travaux, nos livres et nos dessins dans un carton spécial. J'avais mon carton sous le bras : il était très lourd. Coco est sortie de sa classe avec le sien et une petite valise. Comme elle avait du mal à tout porter, je suis allée l'aider. J'ai pris son carton et l'ai mis avec le mien.

– Qu'est-ce qu'il y a dans la valise ?

Coco était impatiente de me l'apprendre.

– C'est ma mission. Tu veux voir ?

Nous nous sommes arrêtées et j'ai posé nos affaires par terre. Coco a fait de même avec la valise et a bataillé un moment avant de réussir à l'ouvrir.

– Voilà !

Il y avait un ours en peluche à l'intérieur. Coco l'a sorti de la valise : il était brun, avec une petite tache blanche sur l'œil, et le bout du nez noir et brillant.

– Je te présente Barnabé, a-t-elle déclaré,

tandis que les autres enfants, les mamans et les papas passaient et bavardaient autour de nous.

– Bonjour, Barnabé, ai-je répondu, faisant semblant de lui serrer la main. Comment vas-tu ?

Coco était aux anges.

– Très bien, merci, a-t-elle répondu en prenant une petite voix d'ourson enroué et en se cachant derrière Barnabé.

Barnabé avait un pantalon et le même pull que le nôtre pour l'école.

Il y avait d'autres vêtements pour lui, soigneusement pliés dans la valise, ainsi qu'un appareil photo, un vrai, pas un jouet, de ceux que l'on jette quand on a fini de s'en servir.

– Tu as vu ses habits pour les vacances ? s'est extasiée Coco en riant tout en me montrant une petite chemise à fleurs et une casquette de base-ball.

J'ai pris l'appareil photo.

– Attention, ne le fais pas tomber.

– À quoi sert-il ?

– C'est l'appareil photo de Barnabé. Je ne dois surtout pas le perdre.

Maman est arrivée à ce moment-là. Elle a pris nos cartons à dessin, moi la petite valise et Coco Barnabé. Elle l'a juché sur ses épaules, ainsi que papa nous porte parfois, et l'a tenu par les mains, toujours comme papa.

– Il voit quelque chose ? s'est-elle inquiétée.

– Oui.

– Qui c'est celui-là ? a demandé maman.

– C'est Barnabé, a répondu Coco.

– Et qui est Barnabé ?

– C'est la très importante mission de Coco pour cet été, lui ai-je expliqué.

– Je dois m'occuper de lui.

– Tu vas faire ça très bien, a affirmé maman.

– Oui, je sais. Je vais devoir l'emmener partout et le prendre en photo. Et à la rentrée, il faudra que je montre les photos à toute la classe.

– Comme c'est charmant ! a dit maman en riant.

– Donc, il faudra qu'il fasse tous les jours quelque chose de nouveau et d'intéressant pour que je puisse le prendre en photo.

– Très bien, a dit maman.

– Donc, c'est une bonne nouvelle, a dit Coco.

– Quoi donc ? ai-je demandé.

– La mer.

– Quelle mer ? s'est étonnée maman.

– Flo a dit qu'on pourrait tous aller à la mer cet été et j'avais peur de ne pas pouvoir venir. Je craignais d'être trop occupée avec ma mission.

– Je vois, a dit maman.

– Montre-lui ton dessin, Flo, m'a suggéré Coco.

J'ai repris mon carton et j'ai sorti le dessin de nous tous à la plage.

– Voilà, a commenté Coco. Et maintenant, Barnabé peut venir avec nous.

– Quand on sera à la maison, je te dessinerai un Barnabé et je le collerai à côté de nous.

Coco et maman m'ont souri toutes les deux en même temps.

– Excellente idée, ont-elles dit en chœur.

– Alors, ça ne t'inquiète plus que ce soit le dernier jour de classe ? ai-je demandé à Coco.

– Non. Plus depuis que j'ai une mission. Plus depuis que j'ai Barnabé.

– Et ça ne t'inquiète plus d'avoir de grandes vacances ? a demandé maman.

– Non, plus depuis que je sais que nous allons à la mer, a-t-elle répondu en me faisant un clin d'œil.

■■■ CHAPITRE 2 ■

Les valises

La maison était sens dessus dessous car nous faisions nos valises pour partir en vacances au bord de la mer. Nos chambres étaient sens dessus dessous. Maman préparait des sandwiches pour le voyage. Papa ne trouvait rien.

– Où est passé mon maillot de bain pattes d'éléphant ?

Coco a éclaté de rire.

– Ton maillot pattes d'éléphant ? Mais qu'est-ce que tu racontes ?

– Mais oui, c'est un maillot de bain avec des pattes d'éléphant, pour mes grosses jambes, a répondu papa en mimant la marche de l'éléphant devant Coco qui a détalé en poussant de petits cris.

– Qu'est-ce que c'est que ce vacarme ? a demandé maman d'en bas.

– Rien, rien, ce sont les éléphants, ont répondu ensemble Coco et papa.

– Les éléphants ? Ils partent donc en vacances avec nous ?

– Seulement s'ils retrouvent leur maillot de bain, lui ai-je expliqué.

– D'accord, a dit maman en me faisant un clin d'œil. Dans le tiroir de gauche ! a-t-elle crié à l'adresse de papa. Moi qui croyais que ces animaux avaient une mémoire exceptionnelle…

– Ah, merci, c'est gentil, a répliqué papa.

Nous avions un sac à dos chacun pour ranger nos affaires. Celui de Coco était rouge avec des gribouillis dessus, et le mien bleu. L'ours Barnabé avait sa propre petite valise, pour ses vêtements et son appareil photo. Coco était chargée de s'occuper de lui tout l'été et de le prendre en photo partout où nous irions. C'était la mission de toute première importance que lui avait confiée Naïma, sa maîtresse.

J'avais appris à l'école comment préparer une valise. Nous avions la photo d'une

valise vide et devions dessiner à l'intérieur tout ce qu'il nous faudrait emporter au cas où un jour nous serions obligés de quitter la maison en quatrième vitesse. Notre institutrice nous avait demandé de bien réfléchir à ce que nous ne voulions surtout pas laisser derrière nous. Elle nous a dit que les jeux, les jouets et les crayons n'étaient pas aussi importants que les passeports, les sous-vêtements et les souvenirs de famille auxquels on tenait particulièrement.

J'ai tout posé sur mon lit, en petites piles, comme le fait maman. Nous partions six jours au bord de la mer. J'ai bien réfléchi et j'ai mis six pantalons, six paires de chaussettes, six T-shirts, deux shorts, une

robe, un jean et deux pulls. J'ai pris mon maillot de bain, mes lunettes de piscine et ma robe qui en vrai est une serviette. J'ai ajouté aussi mon livre, ma trousse de crayons, ma brosse à dents, des cartes à jouer, des lunettes de soleil jaunes et un chapeau à pois. J'ai pris des crayons de couleur au cas où j'aurais envie de dessiner. Je n'ai pas pris mon passeport, car ça, c'est papa qui l'a rangé quelque part, ni aucun souvenir, mais mes affaires étaient prêtes.

Coco est entrée dans ma chambre.

– Qu'est-ce que tu fais ? m'a-t-elle demandé en tortillant une mèche de cheveux.

Lorsque Coco tortille ses cheveux, c'est une façon de dire : « Viens m'aider, je n'y

arrive pas. » Coco sait se faire comprendre de toutes sortes de façons.

Elle se frotte les yeux avec les poings fermés lorsqu'elle est fatiguée. Ses sourcils deviennent rouge vif quand elle est sur le point de pleurer.

Elle brandit l'index en avant quand elle est fâchée.

Ses lèvres se font toutes fines et blanches quand elle est en colère.

Elle s'étire et regarde fixement le bout de ses pieds dès qu'elle commence à s'ennuyer. Et lorsqu'elle est follement excitée à la perspective de quelque chose, elle exécute une petite danse rien qu'avec les mains.

– Qu'est-ce que tu fais ? a-t-elle répété sans cesser de tortiller ses cheveux.

– Je prépare mon sac.

– Qu'est-ce que tu vas prendre ?

Je lui ai indiqué les petites piles de vêtements sur le lit.

– Ça fait beaucoup, a-t-elle commenté en étirant les bras au-dessus de sa tête et en fixant ses orteils.

– Tu veux que je t'aide à préparer le tien ?

Coco a secoué la tête.

– Ça y est, je l'ai fait. Et Barnabé aussi.

– Qu'est-ce que tu as pris ? ai-je voulu savoir.

– Gloria, Patati, Blanco et Tintouin, a énuméré Coco en comptant sur ses doigts.

Gloria, Patati, Blanco et Tintouin sont les peluches préférées de Coco, et les plus

grosses aussi. À elles toutes, elles suffiraient à remplir son sac en un clin d'œil.

– Et quoi d'autre ?

– Rien, a-t-elle répondu en haussant les épaules. Plus de place.

– Et les pantalons, les chaussettes, les T-shirts, les shorts et ton maillot de bain ?

– Je les ai mis sur moi.

J'ai examiné Coco de plus près, et en effet, elle avait l'air un peu… enveloppée.

– Tous ?

– Tu es bête ou quoi ? Je ne peux pas tous les mettre.

– D'accord.

– Je n'en ai pris que quatre, a rétorqué Coco.

Elle avait superposé quatre pantalons et deux shorts ; quatre T-shirts, un débardeur et deux paires de chaussettes ; et, sous tous ses vêtements, elle avait enfilé son maillot de bain.

– Et si tu as envie de faire pipi ? lui ai-je demandé.

– Et alors ?

– Il faudra que tu te déshabilles complètement.

– Pourquoi ?

– Parce que ton maillot de bain est tout en dessous.

Coco a réfléchi un instant.

– Je n'ai pas envie de faire pipi, a-t-elle décrété.

– Oui, mais plus tard, peut-être.

– *Tsss*. Je n'en ai pas envie.

– Et tu as pris ta brosse à dents ?

– Dans ma poche, a répondu Coco en hochant la tête.

– Et ton chapeau de soleil ?

Elle a souri et me l'a montré.

– Dans l'autre poche.

Coco avait pensé à presque tout.

– Tu as pris un livre, des crayons, un jeu et des lunettes de soleil ?

– Non. Je n'avais plus du tout de place. Tu me prêteras les tiens ?

C'est alors que maman est entrée dans ma chambre.

– Ça y est, vous avez préparé vos affaires ?

– Presque, ai-je répondu.

– Oui, a dit Coco.

Maman a regardé Coco. Elle l'a regardée une première fois, puis de nouveau une seconde plus tard.

– Tu as l'air tout engoncée, comment ça se fait ? s'est-elle étonnée.

Coco a souri, avec l'air de posséder un secret dont elle était très fière.

– Mais... comment es-tu habillée ?

– Elle a mis toutes ses affaires sur elle, ai-je expliqué.

– Qu'est-ce qui se passe ? a dit papa qui arrivait derrière maman.

Coco a recommencé à tortiller ses cheveux. Elle a sorti son chapeau de soleil de sa poche et l'a mis sur sa tête.

Papa a examiné Coco d'un air soupçonneux.

– Qu'est-ce qu'elle nous cache, cette petite personne ?

– Rien du tout. Il n'y a pas de petite personne. Rien que Barnabé, et il a sa valise à lui et, de toute façon, ses vêtements sont trop petits pour moi.

Maman a soulevé le T-shirt de Coco et a découvert un autre T-shirt, puis un autre, et encore un autre, et enfin son maillot de bain.

Maman lui a baissé son short et en a découvert un autre en dessous, puis quatre pantalons, et toujours bien sûr son maillot de bain.

– Eh bien, qui l'eût cru ! a dit papa.

– Et si tu as envie de faire pipi ? a demandé maman.

Coco a croisé les jambes.

– Ne me parle pas de ça !

– Tu es une valise humaine, a dit papa.

– Non, a rétorqué Coco, le doigt pointé sur lui.

– Au moins, si tu tombes pendant les vacances, tu ne te feras pas mal, a-t-il ajouté. Tu es bien rembourrée de partout.

– Mais pourquoi ne prends-tu pas ton sac à dos ? s'est étonnée maman.

– Il est plein. Plein à ras bord.

– Plein de quoi ?

– Gloria, Patati, Blanco et Tintouin.

– *Les Quatre Cavaliers de l'Apocalypse*, a commenté papa.

– Mais non, tu es bête, ce ne sont pas des

chevaux, ce sont deux manchots, un ours blanc et un chien.

– Oui, c'est vrai, suis-je bête ! Et ils ne partent pas en vacances avec nous.

– Pourquoi pas ? a demandé Coco.

– Parce que ce sont deux manchots, un ours blanc et un chien.

– Les manchots et les ours polaires adorent la mer, ai-je dit.

– Et les chiens adorent la plage, a ajouté Coco.

– Eh bien, celle-là, ils ne risquent pas de l'aimer pour la bonne raison qu'ils ne viendront pas.

Les sourcils de Coco rougirent instantanément.

– Nous ne pouvons pas les laisser à la maison. C'est impossible ! Barnabé n'aura aucun ami avec qui jouer…

– Si, si, c'est tout à fait possible, a affirmé papa, tandis que les sourcils de Coco étaient de plus en plus rouges.

– Je vois…, a dit maman.

– Qu'est-ce que tu vois ? a demandé papa.

– Le problème.

– Ils veulent venir avec nous, a expliqué Coco. Ils en ont très envie.

– Oh, ma puce…, a soupiré maman.

– Barnabé est obligé de venir, alors ce n'est pas juste pour les autres. Et il va s'ennuyer tout seul.

– Pas grave, a lancé papa.

– Il n'y a vraiment pas de place pour eux ? suis-je intervenue. On ne peut pas entasser Gloria, Patati, Blanco et Tintouin avec nous dans la voiture ?

– Non, a tranché papa. Ils ne sont pas invités.

– Moi, je les invite, a dit Coco. S'il te plaît, ils peuvent venir ?

– Non, pas vraiment, a répondu maman.

– Pourquoi non ? a insisté Coco.

– Ils prennent trop de place, a expliqué papa.

– Ils pourront se serrer, ai-je dit.

Coco a souri, hoché la tête et exécuté une petite danse rien qu'avec les mains.

– Et ils peuvent se faire vraiment tout petits, petits ! Ils se sont mis en boule pour pouvoir tenir dans mon sac, et ils n'ont rien dit.

– Allez, on y va, a dit papa.

– Ils peuvent ? a demandé Coco.

– Allez, laisse-les venir avec nous, ai-je ajouté, sachant combien Coco tenait à ses peluches.

Papa et maman se sont regardés. Maman a souri et papa a expulsé l'air de ses deux joues aussi grosses qu'un ballon.

– Alors rien qu'eux, a tranché maman.

– Personne d'autre ! s'est exclamé papa.

– À part nous, ai-je plaisanté.

– Bien vu, a-t-il répondu.

– Ôte-moi vite tous tes vêtements et range-les dans ton sac, a ordonné maman à Coco.

– D'accord, a-t-elle répondu avant de filer en courant en direction de sa chambre.

– Pourquoi cours-tu comme ça ? s'est étonnée maman.

– Ça presse ! J'ai trop envie de faire pipi, a crié Coco.

CHAPITRE 3

Un voyage interminable

Le jour de notre départ en vacances à la mer, nous avons déposé tous nos bagages près de la porte d'entrée. Le vestibule était encombré de sacs de couchage, d'oreillers, de peluches et de cartons de nourriture. On aurait cru que nous partions pour des années.

Papa nous a demandé de l'attendre pendant qu'il allait chercher la voiture.

– Mais elle est là-devant, ai-je dit.

– Non, pas cette voiture-là, notre voiture

de vacances, a-t-il répondu en me faisant un clin d'œil.

– Qu'est-ce que c'est que ça, une voiture de vacances ? a demandé Coco.

Je ne le savais pas plus qu'elle. J'ignorais même qu'il existait un genre de voiture exprès pour les vacances. Alors, j'ai posé la question à maman.

– Attendez et vous verrez bien.

C'est ce que nous avons fait.

Coco a attendu en jouant avec ses peluches et en demandant à maman toutes les cinq minutes si papa en avait encore pour longtemps.

Moi, j'ai lu un chapitre entier de mon livre, j'ai regardé un dessin animé à la télé et j'ai arrosé toutes les plantes pour qu'elles ne meurent pas de soif en notre absence.

Après quoi, un coup de klaxon nous a fait sursauter : *Bipbili-bipbili-bip !*

– C'est ça ? s'est écriée Coco.

– Oui, a dit maman. Allez voir.

Nous sommes sorties et papa était bien là,

en train de garer notre voiture de vacances devant la maison.

C'était un camping-car jaune au toit blanc, avec des fenêtres tout autour et des petits rideaux à carreaux jaunes et blancs à chacune des vitres.

Coco a fait sa petite danse rien qu'avec les mains.

– Wouahou !

Le jaune est sa couleur préférée.

Le visage souriant de papa s'encadrait dans la vitre avant. Après un certain nombre de bruits bizarres, de grognements, de gargouillements et de crachotements, le camping-car s'est immobilisé.

– Wouahou ! ai-je dit à mon tour.

Coco m'a jeté un regard et nous avons éclaté de rire. Papa est sorti du camping-car – en fait il a plutôt sauté car c'était très haut – et il a tiré la grande portière qui s'est ouverte dans un bruit de roulement.

– Wouahou ! a dit maman.

Nous n'en croyions pas nos yeux.

À l'intérieur, là où normalement se trouvaient des sièges, il y avait carrément une pièce. D'où j'étais, je distinguais une table, un canapé, des placards et un évier.

– Tu vois ce que je vois ? ai-je demandé à Coco.

– Il y a des éviers dans les voitures, maintenant ? a dit Coco.

Et nous avons de nouveau ri. Nous nous sommes précipitées dans l'allée et avons poussé le portail pour mieux voir. Mieux voir, cela signifie non seulement regarder de plus près, mais toucher à tout.

– Regardez-moi ça ! a dit maman. C'est nickel chrome !

– Je ne sais pas, mais en tout cas, c'est grand ! a commenté Coco.

– Moi je suis très contente parce que c'est là que nous allons vivre pendant les six prochains jours.

Papa nous a aidées à monter dans le camping-car. Il m'a tenu la main pour que j'arrive à grimper car la marche était très haute, et il a hissé Coco à l'intérieur. Plantés sur le trottoir, papa et maman nous voyaient inspecter chaque recoin et toucher à tout.

Le canapé en mousse était moelleux, la table dure et brillante, les placards foncés et vastes, et l'évier était un vrai évier. L'eau coulait du robinet quand on appuyait sur une pédale avec le pied, et si on se débrouillait bien ça marchait parfaitement. Mais ce n'était pas très facile.

Avec Coco, nous sautions de joie en nous tenant par la main. Le camping-car tanguait comme un bateau sur la mer.

– Ooooh ! a gémi Coco en s'arrêtant brusquement. Ça fait un drôle d'effet…

Et tout à coup, nous avons vu les jambes de papa, puis ses pieds, puis la tête de maman par la vitre arrière.

– Venez voir, nous a dit papa d'une voix lointaine. Nous sommes en haut !

Je suis sortie du camping-car et j'ai aidé Coco à en descendre, en poussant toutes les deux un gros *oups* lorsque je l'ai réceptionnée dans mes bras. Il y avait une échelle à l'arrière. Papa et maman avaient grimpé sur le toit et nous regardaient.

– Qu'est-ce que vous faites ? a demandé Coco.

– Nous admirons le paysage, a répondu maman.

– Qu'est-ce que vous voyez ?

C'est papa qui a répondu :

– Au numéro 52, la pelouse a besoin d'être tondue.

– Il y a des gens qui préparent un barbecue dans l'autre rue, a dit maman.

– Oh, j'adore ça, a dit Coco. On peut en faire un ?

– Oui, quand nous serons là-bas, a promis papa. Nous en ferons un sur la plage. Allez, on s'en va !

Coco a filé chercher Barnabé et je suis allée prendre ma valise avec maman. Coco a couru de nouveau vers le camping-car.

– Allez, Coco, a dit maman, va vite chercher ton sac.

– On part en vacances ! ai-je ajouté.

– Attendez une seconde, a répondu Coco qui photographiait Barnabé posé sur la table à côté de sa petite valise.

Nous avons entassé toutes nos affaires dans lc camping-car jaune. Il était équipé de compartiments de rangement, de sorte que tout a trouvé sa place, même les sacs de couchage, les cartons de nourriture, les peluches de Coco et la grosse valise de maman.

– Mais qu'est-ce que tu as fichu là-dedans ? s'est étonné papa en la traînant jusqu'à la voiture.

– L'évier de la cuisine, bien sûr, a-t-elle plaisanté.

– Pourquoi faut-il un deuxième évier ? a demandé Coco. On en a déjà un ici.

Maman et papa se sont assis à l'avant, tandis que nous nous installions sur des sièges spéciaux, derrière eux. Les peluches

de Coco étaient calées tout autour de la table avec Barnabé, comme si elles s'apprêtaient à goûter ou attendaient leur dîner.

– Dans combien de temps on arrive ? a demandé Coco.

Papa s'est retourné et l'a regardée par-dessus ses lunettes.

– Nous n'avons même pas démarré.

– Oui, mais dans combien de temps ?

– Trois heures et demie, a répondu maman. Peut-être quatre...

– Est-ce que c'est très long ?

– Oui, plutôt.

– Mais si tu commences déjà à poser la question, alors oui, c'est sûr, ce voyage va être interminable.

C'était amusant de rouler dans les rues de notre quartier dans une autre voiture que la nôtre. C'était un peu comme si on était déguisés. Si nous avions croisé un voisin, il ne nous aurait pas reconnus. Coco et moi avions envie de crier, de klaxonner et de

faire des « coucous » à tout le monde tant nous étions fières de partir en vacances dans un camping-car jaune.

Coco a voulu jouer au jeu qu'elle avait inventé et qui consistait à deviner à quel animal ressemblaient les voitures. D'après elle, certaines voitures avaient l'air d'hippopotames, d'autres de pandas, de crocodiles ou encore de lézards. Notre voiture de tous les jours est un chat, parce qu'elle est noire, qu'elle ronronne et qu'elle est très rapide. Le camping-car est plus bruyant, plus poussif et donc plus lent.

– Si notre voiture est un chat, quel animal est ce camping-car ? ai-je demandé à Coco.

– Une tortue, portant sur le dos un sac de cuillères, a répondu papa.

– Un kangourou, avec nous dans sa poche, a dit maman.

– Non, a objecté Coco. Un château mystérieux sur le dos d'un lapin.

Nous nous sommes bientôt retrouvés sur une route à grande circulation, où toutes les voitures nous dépassaient comme des flèches. Ça ne me dérangeait pas du tout que le camping-car soit bruyant et poussif. C'était comme si nous partions avec notre maison sur le dos, et ça, c'était la première fois.

– Nous sommes un escargot, ai-je fait remarquer.

Coco était d'accord avec moi.

Papa a fait quelque chose et le camping-car s'est aussitôt mis à gronder et à vibrer.

– Oui, Flo, c'est exact.

Dans notre camping-car, nous étions plus haut que les autres voitures et voyions ce qui se passait à l'intérieur. Il y avait des gens qui mangeaient des sandwiches, lisaient des livres, regardaient la télé, téléphonaient, se mettaient les doigts dans le nez, ou simplement conduisaient.

Pour aller là où nous allions, nous étions obligés de rester sur la route express un bon moment.

Une fois sortis de la ville, il n'y avait plus que des champs. Nous sommes passés sur un immense pont tout blanc qui ressemblait à un très beau paquebot. Sous le pont, nous avons vu l'endroit où le fleuve allait se jeter dans la mer. Nous avons vu aussi des moutons, des vaches, des chevaux et des montagnes.

Au bout d'un certain temps, Coco a commencé à s'agiter.

Ses jambes la grattaient, ses bras la picotaient, son ventre gargouillait, ses fesses se

trémoussaient. Même son visage refusait de rester tranquille.

– Ohhhh..., a-t-elle gémi.

– Que se passe-t-il ? s'est inquiétée maman.

– Je ne tiens plus en place.

– Tu as faim ?

– Je ne sais pas... Peut-être...

– Veux-tu qu'on s'arrête pour que tu puisses te dégourdir les jambes ?

– Oui, a répondu Coco en contemplant ses genoux. Oui, je veux bien.

Nous nous sommes donc arrêtés à un emplacement autorisé pour stationner. Papa a ouvert la grande portière coulissante et Coco a sauté pour se dégourdir les jambes. Elle a pris ses peluches, au cas où elles auraient eu envie de faire pareil. Après avoir tous fait quelques étirements, nous

nous sommes assis à une table pour manger nos sandwiches, à l'exception de Coco qui a pris le sien dans l'herbe en compagnie de ses peluches.

– N'est-ce pas amusant, tout ça ? a dit maman.

– Oh, oui alors ! s'est exclamée Coco de sa place.

Une fois que nous avons eu bien déjeuné, que nous nous sommes bien étirés et que nous avons été aux toilettes, nous sommes tous remontés dans le camping-car jaune. Coco a installé ses peluches sur le canapé, pour la sieste.

– Dors vite, Gloria. Ne gigote pas, Patati. Bonne nuit, Blanco. Fais de beaux rêves, Tintouin. Et toi, Barnabé, tais-toi, s'il te plaît.

– Dépêche-toi, Coco, a dit papa.

J'ai bouclé ma ceinture de sécurité, tandis que maman attachait celle de Coco. Le camping-car a grogné, gargouillé, crachoté, et il est reparti. Nous dévorions du regard toutes les nouveautés que nous découvrions. Les routes étaient de plus en plus étroites, de plus en plus sinueuses, et les haies de plus en plus hautes.

– On n'en a plus pour longtemps, les filles, a déclaré papa.

– Nous sommes presque arrivés, a confirmé maman.

– Voyons voir qui de nous quatre verra la mer en premier ! ai-je dit, ce qui a fait rire Coco car elle adore les phrases un peu bizarres.

Au sommet d'une colline, c'est moi qui l'ai vue la première, toute bleue et s'étendant à l'infini.

– Regarde, Coco ! La voilà !

– Où ça ? a-t-elle demandé en se dressant sur son siège. Ooooh ! Là !

– LA MER ! LA MER ! avons-nous scandé toutes les deux en chœur.

Quand nous sommes arrivés au camping, il était presque l'heure d'aller au lit. Papa s'est garé à l'emplacement qui nous était réservé. Après avoir repéré les alentours, Coco et moi nous sommes mises en pyjama et lavé les dents (dehors, en plein air, avec des gobelets).

À peine entrée dans le camping-car, Coco s'est soudain immobilisée sur place, la bouche grande ouverte et les yeux ronds de stupeur.

En notre absence, il s'était transformé en chambre. Un grand lit était apparu à la place du canapé et de la table, et un deuxième avait surgi au plafond. Le toit s'était déplié comme un diable sortant de sa boîte. C'était génial. Papa et maman nous souriaient, assis sur le lit du bas.

– Qu'est-ce qui s'est passé ? a demandé Coco d'une toute petite voix, sous le coup de la surprise.

– C'est l'heure d'aller dormir, a dit maman.

– Comment pouvait-il le savoir? a demandé Coco.

– Comment qui pouvait savoir quoi ? a dit papa.

– Comment le camping-car pouvait-il savoir que c'était l'heure d'aller dormir? Comment s'est-il transformé ?

Maman a soufflé sur sa frange et éclaté de rire, tandis que papa me faisait un clin d'œil et prenait à son tour une toute petite voix :

– Nous n'en savons rien. C'est comme ça. C'est magique…

– Magique…, a répété Coco, convaincue, avant de poser sa main sur mon bras. Flo, je crois que notre camping-car jaune est magique.

Maman et papa dormaient en haut, dans le toit, et nous deux en bas.

– Nous dormons dans un camping-car magique, répétait Coco tout en se trémoussant et en faisant danser ses mains d'excitation.

– Non, nous ne dormons pas du tout, a dit papa.

– Papa ? a dit Coco.

– Oui ?

– Tu avais raison, c'était un voyage interminable.

– Je suis bien de ton avis.

– Mais ça valait la peine.

– Tant mieux, a-t-il répondu en se retournant dans son lit suspendu.

– Magique, a chuchoté Coco.

Et l'on n'a plus entendu le moindre bruit jusqu'au lendemain matin.

CHAPITRE 4

Au bord de la mer

Papa s'est réveillé très tôt le matin.

Ce qui était très étonnant, parce que d'habitude il adore traîner au lit le plus tard possible quand il n'est pas obligé d'aller travailler.

– Pourquoi te lèves-tu ? lui ai-je demandé.

– Je n'ai pas encore fini de dormir, a protesté Coco en se frottant les yeux.

Mais quand elle s'est rappelée où nous étions, elle s'est tout à fait réveillée.

Il faisait bon dans le camping-car. Le soleil qui brillait à travers les rideaux teintait tout en jaune, même nos visages et nos mains.

– Oooh…, a dit Coco en clignant des yeux et en regardant autour d'elle. J'avais oublié qu'on était ici.

– Exactement, a répondu papa. Allez, venez voir.

Il a ouvert la grande portière coulissante, laissant entrer une bouffée d'air frais.

– Brrr, a dit Coco en frissonnant. Il fait froid.

– Mettez un pull, a dit papa. Et venez marcher dans l'herbe mouillée.

Le ciel était bleu et l'herbe fraîche nous chatouillait les pieds. On entendait le chuchotis des vagues, le meuglement des vaches et le cri des mouettes. On entendait aussi les autres familles du camping qui se réveillaient.

Maman aussi était déjà levée. En chemise de nuit et bottes en caoutchouc, elle faisait chauffer de l'eau dans une minuscule bouilloire sur un minuscule réchaud.

Coco l'a bien regardée avant de se tourner vers moi.

– Maman a une drôle d'allure, m'a-t-elle murmuré en mettant la main devant sa bouche pour étouffer un petit rire.

– Bonjour, a dit maman. Vous avez bien dormi ?

Sans ôter la main de sa bouche, Coco a hoché la tête, et moi aussi.

– Oui, très bien, ai-je répondu. Comme des marmottes.

– De vraies marmottes, a précisé Coco.

Nous étions pieds nus dans l'herbe mouillée, papa s'était levé tôt et maman préparait le petit déjeuner en chemise de nuit.

– C'est amusant, les vacances, non ? ai-je dit à Coco. Et le camping, c'est bizarre, non ?

– Oh, oui, alors ! m'a-t-elle répondu avec un large sourire.

Nous avons mangé des céréales et des bananes pour le petit déjeuner, sur une natte, comme pour un pique-nique. Lorsque nous sommes remontées dans le camping-car, la chambre du bas avait disparu, et le canapé et la table étaient revenus à leur place.

– Et c'est reparti ! a dit Coco. Il est vraiment magique, ce camping-car, il savait qu'on était levés.

– Mais comment fait-il ? a demandé papa en me refaisant un clin d'œil.

– Aucune idée, a glapi Coco d'une voix haut perchée. Je n'y comprends rien du tout.

Nous avons mis nos maillots de bain et maman nous a enduites de crème solaire. Là où elle la vaporisait, ça faisait froid sur la peau, nous coupait le souffle et nous obligeait à nous tortiller. Ça sentait le bonbon. Après, nous nous sommes habillées, et nous avons pris nos serviettes et nos chapeaux. Ensuite nous avons attendu que papa et maman soient prêts. Ça leur a pris des siècles.

Maman a fait des sandwiches. Je l'ai aidée à les emballer et à les ranger dans une boîte. Coco aussi nous a aidées. Elle a compté quatre pommes, quatre paquets de chips et cinq biscuits au chocolat.

– Pourquoi cinq ? s'est étonnée maman.

– Parce que quelqu'un pourrait en vouloir un autre.

– Eh bien, que ce quelqu'un le remette à sa place, a dit maman.

Une fois de plus, papa ne trouvait pas son maillot de bain.

– Je n'ai aucune envie de me baigner en petite culotte.

Ce qui nous a fait hurler de rire, car les papas ne portent pas de petite culotte, et même s'ils en portaient, ils n'auraient pas le droit de se baigner avec.

Coco riait tellement qu'elle en avait mal au ventre. Et dès qu'elle s'arrêtait, elle répétait « petite culotte » et recommençait à rire. Couchée dans l'herbe, sur le dos, devant le camping-car, elle battait des jambes et se roulait par terre.

– Trouvé ! s'est écrié papa en brandissant son grand maillot de bain.

– Quel soulagement, a dit maman.

– Ouf, ai-je dit.

– Petite culotte, a répété Coco, comme s'il s'agissait de la chose la plus drôle du monde.

Pour arriver à la plage, nous avons dû escalader une très haute colline d'où nous voyions les vagues qui allaient et venaient. Le sable était jaune clair et brun, et la mer bleu, gris et blanc. Il y avait de grandes falaises tout autour, des groupes de rochers et des tas de sable hauts comme des collines.

– Des dunes, a dit maman.

– Comme dans le désert, ai-je précisé.

– Exactement.

Nous avions pris nos serviettes, nos livres,

nos seaux et nos pelles, et Coco avait en plus Barnabé et son appareil photo. Nous avons mis un bon moment avant d'arriver en bas. Coco commençait à avoir un peu mal aux jambes et de moins en moins de force.

– Tu as un coup de pompe ? lui a demandé papa.

Et Coco a senti ses jambes encore plus faibles tant elle riait.

– Attends de voir quand il faudra remonter, a dit papa en montrant le sommet.

– Alors là, j'aurai un super coup de pompe, a répondu Coco en riant comme une folle.

La mer était encore loin. Et, d'après maman, elle n'était pas là.

– Où est-elle passée ? s'est alarmée Coco.

– Je ne sais pas ; elle est basse, c'est tout.

– Donc nous aurons davantage de plage, a dit papa en ôtant ses chaussures et en enfonçant ses pieds dans le sable.

– Allez, faites comme moi.

Nous avons enlevé nos chaussures. Le sable était chaud dessus et froid dessous. C'était bon de le sentir glisser entre les doigts de pied. Plus nous approchions de l'eau, plus il était humide.

Maman a trouvé un endroit où poser nos affaires. Nous avons tout enlevé, sauf nos maillots de bain, et avons couru jusqu'au bord de l'eau.

La mer était froide, avec de petites vagues écumeuses. Elle s'agitait en permanence.

– Sautez ! a crié papa alors qu'une vague arrivait sur nous et nous léchait les chevilles.

Alors nous avons tous sauté.

– Courez ! a dit papa alors qu'une vague plus grosse surgissait de nulle part et nous mouillait les mollets.

Alors nous avons tous couru.

Nous avons continué à avancer jusqu'à ce que l'eau atteigne nos ventres et nous coupe le souffle tant elle était froide.

– Nagez ! a dit papa alors qu'une vague énorme fonçait sur nous, dans laquelle il a plongé sans hésiter.

Alors nous avons nagé.

C'était salé ; la vague était passée par-dessus mes oreilles et mon nez, et lorsque j'ai ouvert les yeux sous l'eau, tout était flou, vert et plein de choses. Rien à voir avec une piscine.

– Hiiiiii ! a hurlé Coco en crachotant, clouée sur place. Il y a plein de trucs là-dedans !

– Quels trucs ? a demandé maman.

– Des plantes et des trucs.

– Des algues, ai-je dit.

– Hiiiiii ! a crié de nouveau Coco, en faisant une grimace et en sautillant sur place. Je n'aime pas ça.

– Et pourquoi ? a demandé papa.

– C'est gluant.

– Ce ne sont que des algues, a dit maman.

– Elles m'attrapent les jambes, a gémi Coco en faisant demi-tour en direction de la plage.

– Ce ne sont que des algues et des coquillages, lui a rappelé maman alors qu'elle s'éloignait.

– Et des poissons, a ajouté papa. Et des crabes.

– Je te remercie, ça ne va pas arranger les choses, lui a dit maman.

Coco s'en allait résolument.

– Et des étoiles de mer, ai-je renchéri. Et des dauphins.

Coco a ralenti un peu le pas.

– Et des baleines... Et un trésor

englouti... Et des sirènes, ai-je dit, prise d'une soudaine inspiration.

Coco s'est immobilisée, puis elle s'est retournée vers nous.

— Oui, ai-je affirmé en hochant la tête. Elles sont là, quelque part sous l'eau.

Maman a aussi hoché la tête et papa a confirmé :

– Oui. Absolument.

– C'est vrai ? a demandé Coco. Là-dedans ?

– Oui, ai-je répondu. Elles adorent les algues ; c'est comme des bonbons pour elles.

– Berk...

– Elles aiment ça, je te dis. Si tu étais une sirène, tu trouverais ça délicieux.

Coco a toujours rêvé d'être une sirène. À la maison, elle joue aux sirènes dans son bain, à la piscine aussi et même parfois sur la terre ferme. Elle fait semblant d'être une petite fille, avec des jambes, qui peut se transformer en sirène à sa guise. C'est l'un des jeux préférés de Coco.

– Nous pourrions jouer aux sirènes, lui ai-je proposé.

– Ah bon ?

Et Coco est revenue vers nous en sautillant.

– Nous pourrions y jouer ici, dans l'eau, là où se trouvent les vraies sirènes.

– Et le trésor ? Il y a aussi un trésor ?

– Oui, des tas de trésors.

– Alors on pourrait être des sirènes qui chercheraient un trésor ?

– C'est une très bonne idée. Jouons aux sirènes et à la chasse au trésor en même temps.

– Tu crois qu'on va trouver quelque chose ? s'est inquiétée Coco.

– C'est possible. En cherchant bien.

– D'accord, allons-y, a-t-elle répondu en prenant une grande inspiration avant de disparaître sous l'eau.

– Soyez prudentes, a dit maman.

– Et faites attention aux baleines ! a dit papa qui nageait à côté de nous en faisant jaillir de l'eau entre ses dents et en battant des deux pieds à la fois, comme la baleine avec sa grande nageoire.

Nous avons joué jusqu'au moment où nous n'avons plus senti le bout de nos doigts de main et de pied. Coco a dit que nous étions en train de devenir des sirènes pour de vrai. Alors nous sommes sorties de l'eau et nous sommes étendues au soleil.

Nous avons fait à Coco une queue de sirène en sable.

Elle a pris une photo de Barnabé avec mes lunettes de soleil sur le nez.

Nous avons déjeuné, paressé et exploré un petit peu les flaques d'eau de mer dans les rochers et aussi les dunes.

Notre journée a été très occupée.

Lorsque nous sommes arrivés en haut de la grande colline, tout le monde avait les jambes en coton. Nous avons mangé des *fish and chips* dans un petit restaurant, après quoi nous sommes rentrés au camping-car.

– C'était la plus belle journée de toutes les vacances ! a déclaré Coco.

– C'était la seule et unique journée de toutes les vacances ! a répondu papa.

– Oui, mais c'était quand même la plus belle. J'adore la plage.

– Moi aussi, ai-je dit. J'adore la plage.

■ CHAPITRE 5 ■■■

Coco se fait un ami

Tous les jours, à la plage, nous avons joué aux sirènes jusqu'à ce que nos doigts de pied et de main soient tout bleus et engourdis. Papa était un chasseur de baleines, Coco la princesse des sirènes et moi sa servante ; pendant ce temps-là, maman lisait le journal.

Un jour, Coco a préféré s'amuser sur la plage. Elle avait envie de se servir de nos seaux et de nos pelles pour bâtir quelque chose d'extraordinaire, mais elle ne savait pas quoi.

– Faisons un château pour Barnabé, lui ai-je proposé.

– Le roi Barnabé ! Bonne idée !

Nous avons pris nos pelles, tracé un grand cercle autour de nous et commencé à creuser des douves. Le soleil était chaud, la mer chuchotait à nos pieds et les mouettes tournoyaient dans le ciel bleu. Nos pelles glissaient et crissaient sur le sable humide.

– Qu'est-ce que c'est une douve ? a demandé Coco sans cesser de creuser.

– C'est un fossé plein d'eau qui entoure les châteaux.

– Pour quoi faire ?

– Pour les protéger des ennemis.

Nous avons creusé encore un peu.

– Quels ennemis ? a-t-elle insisté.

– Les envahisseurs. Dans l'ancien temps...

– Comment un fossé plein d'eau peut-il les empêcher d'entrer ?

– Parce qu'il y a des crocodiles dedans, a fait une voix.

Ce n'était pas ma voix, ni celle de Coco. Ce n'était pas non plus celle de maman, ni celle de papa : ils prenaient un bain de soleil, les yeux et la bouche fermés.

– Qui est-ce qui a parlé ? a demandé Coco en sursautant, puis en se figeant sur place, parfaitement immobile, hormis les yeux qui roulaient en tous sens.

– Je ne sais pas.

– C'est moi, a répondu la voix.

C'était la voix d'un petit garçon.

Il était juste derrière nous, un peu caché par les rochers, et nous regardait. Il avait des cheveux très roux, des milliers de taches de rousseur et un petit tas de crème solaire très blanche sur le bout du nez.

– Ce sont les crocodiles dans les douves qui les ont mangés, a-t-il expliqué.

Coco a haussé les épaules.

– Je déteste les crocodiles. Ils ont trop de dents.

– Bonjour, ai-je dit.

– Bonjour, a répondu le petit garçon en souriant.

Pour sa part, il n'avait pas beaucoup de dents, surtout des trous.

– Qui es-tu ? a demandé ma petite sœur.

– Piero.

– Et moi Coco.

Je lui ai dit à mon tour comment je m'appelais.

– Qu'est-ce que vous faites ?

– On construit un château.

– On creuse des douves, a précisé Coco.

Mais je ne vais pas y mettre de crocodiles. Rien qui morde.

– Je peux vous aider ? a proposé Piero en nous montrant sa pelle bleue et son seau argenté spécial châteaux forts.

– Oui, oui, a accepté Coco. Tu peux bien nous aider. C'est pour le roi Barnabé.

– Qui est-ce ? a voulu savoir Piero en escaladant le rocher pour nous rejoindre.

Je lui ai indiqué Barnabé, calé sur la serviette de Coco, entre maman et papa. Maman, qui venait de prendre un livre, lui a fait un petit signe de la main. Papa avait posé le journal sur son visage. Je crois qu'il essayait de dormir.

– Barnabé est à moi, a expliqué Coco. Je dois m'en occuper : c'est la mission très importante que m'a confiée la maîtresse.

– Génial, a commenté Piero.

Coco a bombé un peu le torse et souri.

Piero avait un short de bain rouge et des chaussures exprès pour la plage.

– J'aime bien tes chaussures, a dit Coco.

– Merci, elles sont amphibies.

– Génial, a répondu Coco en tortillant sa mèche de cheveux.

– Ça veut dire qu'on peut aussi aller dans l'eau avec, lui ai-jc soufflé.

– Je sais, a-t-elle menti.

Piero était un excellent bâtisseur de douves. Il creusait, pelletait et entassait le sable en vue de faire des châteaux. Notre cercle a été achevé en un rien de temps.

Nous nous sommes reculés pour contempler notre ouvrage.

– C'était rapide, ai-je dit.

– Oui, a répondu Piero. On devrait y mettre des crabes.

– Non, s'est opposée Coco. J'ai dit : rien qui morde !

– Les crabes ne mordent pas, a corrigé Piero. Ils pincent... avec leurs pinces.

– Alors rien qui pince !

Piero n'était pas très content.

– Je l'ai déjà fait plein de fois, et c'était bien, a-t-il répondu.

– Quand ça ? lui a demandé Coco.

Piero a haussé les épaules.

– Plein de fois, tout le temps.

– Ah bon ? Comment ça, tout le temps ?

– J'habite ici.

Coco a ouvert des yeux aussi grands et ronds que nos douves.

– Ici ? À la plage ?

– À côté de la plage, a répondu Piero tout en remplissant de sable son grand seau en forme de château fort.

– Tu as de la chance, a dit Coco. Nous, on habite à côté des feux rouges.

Après avoir rempli son seau, Piero l'a retourné et en a tapoté le fond quatre fois à l'aide de sa pelle. Puis il l'a soulevé délicatement, découvrant un superbe château fort, avec ses tours crénelées, ses fenêtres et sa grande porte.

– Wouahou ! s'est exclamée Coco. Ce que tu es fortiche !

Alors elle a rempli notre seau ordinaire, l'a retourné et l'a tapé, tout comme l'avait fait Piero. Lorsqu'elle l'a soulevé, il y avait un superbe château de sable en forme de seau.

– Pas mal, a dit Piero. Pas mal du tout.

Coco était aux anges.

Quand maman nous a appelées pour nous mettre encore un peu de crème solaire, Piero est venu avec nous.

– Bonjour, a dit maman. Qui est-ce ?

– Piero, a répondu Coco. C'est notre ami. Il est spécialiste en châteaux de sable.

Cette fois, c'est Piero qui ne s'est pas senti peu fier : il a bombé le torse et souri.

– Mais regardez son seau, a dit Coco.

Piero a brandi son seau pour que tout le monde le voie.

– Bonjour, Piero, ont dit papa et maman.

– Bonjour.

– Il habite ici, a expliqué Coco. Il vit au bord de la mer !

– C'est formidable, a dit maman.

Papa a offert à Piero un sandwich au poulet.

– Non, merci, je suis végétarien.

– Qu'est-ce que c'est ? s'est écriée Coco. Je peux l'être aussi ?

– Ça veut dire que tu ne manges pas de viande, lui ai-je expliqué.

– Bah, je déteste la viande, a-t-elle affirmé.

Ce n'est pas tout à fait la vérité. Coco aime beaucoup les saucisses et le poulet rôti. Elle ne mange presque pas de légumes : elle les jette sous la table quand maman a le dos tourné.

Elle a souri à Piero qui lui a rendu son sourire.

– Quel âge as-tu, Piero ? lui a demandé maman.

– Sept ans et quart.

– Et moi, six ans et quelque.

– Génial, a dit Piero.

– Génial, l'a imité Coco.

– Génial, a répété papa en nous faisant un clin d'œil, à maman et à moi.

– Avec qui es-tu à la plage ? l'a questionné maman.

– Il est avec moi, a répondu Coco en se collant contre lui.

– Ma maman et mon papa sont là-bas, a-t-il répondu en pointant le doigt dans une direction.

Ses parents étaient très loin : on ne distinguait que deux petites silhouettes près d'une tente rouge. Piero a agité les bras, et ils lui ont répondu de même et nous aussi.

Coco et Piero ont passé tout l'après-midi à faire des châteaux de sable, sans interruption.

Je suis allée nager très loin avec papa. Maman et moi avons dessiné avec des bouts de bois un immense bateau sur le sable. Nous avons joué au pendu, à chat et au cricket à la française. J'ai proposé quatre fois à Coco et à Piero de jouer avec nous, mais ils ont refusé. Ils étaient bien trop occupés.

Alors que le soleil se couchait et que l'humidité commençait à tomber, ils étaient encore en plein travail et ils n'avaient toujours pas terminé.

Nous avons plié nos serviettes, rangé nos affaires et sommes allés voir ce qu'ils fabriquaient.

– On s'en va, Coco ! lui a signalé papa.

– Encore cinq minutes !

Tirant la langue et le front plissé par la concentration, Piero n'a pas levé le nez de son seau.

Coco et Piero ne s'étaient pas contentés de construire un château pour Barnabé, non, ils avaient bâti une ville entière.

C'était très impressionnant.

– Extraordinaire ! a commenté papa.

– Vraiment fabuleux, a renchéri maman.

La maman et le papa de Piero avaient eux aussi rangé leurs affaires et s'étaient approchés.

– Superbe, fiston, l'a félicité son père.

Il avait les mêmes cheveux roux et autant de taches de rousseur que Piero.

– C'est très joli, mon chéri, a dit sa mère.

Elle portait les mêmes chaussures de plage que son fils, mais en violet.

– Vous devriez prendre une photo, leur ai-je suggéré.

En faisant très attention où il mettait les pieds, Piero s'est installé au milieu de la ville et a posé Barnabé sur l'un des châteaux. C'est Coco qui a pris la photo.

– Elle va être bien, celle-là, a dit Piero.

– Prends-en une de Barnabé avec Piero, ai-je dit.

Piero s'est redressé et a souri à l'appareil.

– Dis « ouistiti », a dit Coco.

– Ouistiti.

– Dis « saucisses ».

– Saucisses.

– Maintenant, dis « bonsoir », a dit papa.

– Bonsoir.

– Je n'ai pas envie de partir, a râlé Coco.

– Pourtant il le faut, a dit maman.

– Mais je n'ai pas envie.

– On va retrouver le camping-car magique.

Un éclair a illuminé fugitivement le regard de Coco.

– Je n'en ai vraiment pas envie.

– Je suis certaine que Piero reviendra demain, a dit maman, n'est-ce pas, Piero ?

Piero a jeté un coup d'œil vers ses parents qui ont acquiescé.

– Oui.

– Donc nous reverrons Piero demain, a conclu maman. D'accord ?

Coco a regardé Piero.

– Promis ?

– Promis.

– Juré ?

– Juré.

– Nous referons des châteaux de sable ? a demandé Coco.

– Oui. Et je te montrerai une étoile de mer si tu veux bien.

Coco a souri. Elle était ravie, éblouie, gonflée d'orgueil.

– Oh, oui, a-t-elle répondu d'une toute petite voix de souris. Je veux bien.

– À demain, ai-je dit.

– Génial, a répondu Piero.

– Génial, a répété papa.

Pendant tout le trajet de retour, Coco nous a parlé de Piero, même en grimpant la colline. Elle en a parlé en mangeant, pendant tout le dîner, et après en jouant à la marelle, et encore en se lavant les dents. Elle a continué à en parler longtemps après que maman et papa ont fermé les rideaux et nous ont dit bonne nuit.

– Piero est tellement intelligent. Piero est tellement grand. La maîtresse de Piero s'appelle Mme Jeanne. Je n'ai jamais vu un seau aussi génial que celui de Piero. Piero va me montrer une étoile de mer. Piero est mon meilleur ami.

– Piero dort et tu devrais en faire autant, a dit papa.

– Bonne nuit, maman. Bonne nuit, papa. Bonne nuit, Flo !

– Bonne nuit, Coco, lui avons-nous répondu en chœur.

Et avant que nous ayons eu fini de compter dans nos têtes jusqu'à dix, la petite voix de Coco a brisé le silence :

– Bonne nuit, Piero.

CHAPITRE 6

Où est Coco ?

– Wouhaou ! s'est exclamée Coco. Quel monde !

Nous étions arrivés au sommet de notre colline avant d'entamer la longue descente sur la plage. C'est simple, on ne voyait plus la mer bleu et gris, ni le sable jaune et brun, ni non plus les rochers noir et gris. Aujourd'hui, la plage était de toutes les couleurs de l'arc-en-ciel : il y avait des parasols, des tentes, des serviettes, des nattes, des

maillots de bain, des gens, des chiens, des petits drapeaux, des cerfs-volants, des ballons et des planches de surf. Notre plage était couverte de monde.

– C'est l'heure de pointe, a dit papa.

– C'est samedi, a dit maman.

– C'est plein à craquer, a dit Coco. Comment allons-nous retrouver Piero ?

– Ne t'inquiète pas, l'ai-je rassurée. Je vais t'aider.

Nous nous sommes dirigés vers notre emplacement habituel, mais il était occupé par une autre famille. Nous sommes allés là où la maman et le papa de Piero étaient installés hier, mais il y avait une autre famille à leur place. Finalement, papa a trouvé un joli

petit coin bien abrité sur une dune. Le sable était sec, doré et fin. Mais dès que le vent se levait, il soulevait le sable qui venait se coller sur nos bras, nos jambes et nos visages enduits de crème solaire.

– Oooh..., s'est lamentée Coco. Ça gratte...

– Oui, comme du papier de verre, a dit papa.

– Tu veux dire comme du poil à gratter, a-t-elle corrigé.

Il faisait chaud dans les dunes, et nous étions bien. Maman et papa étaient allongés les yeux fermés, alors que cela ne faisait pas très longtemps qu'ils étaient réveillés.

– On peut aller se baigner ? ai-je demandé.

– Vous pouvez barboter, mais pas nager, a répondu maman. Pas sans nous.

– D'accord.

– Promis ?

Nous le lui avons promis.

– On peut emmener Barnabé ? a demandé Coco. Il n'a pas encore mis les pieds dans l'eau.

– Je ne suis pas certain que ça lui plaise, a dit papa.

– Oh, si, sûrement ! a décrété Coco.

– Ne le lâche surtout pas, a conseillé maman, je ne pense pas qu'il sache nager.

Nous sommes descendues toutes les deux vers le bord de l'eau. Coco me donnait la main, de sorte qu'elle pouvait chercher des yeux Piero au lieu de regarder où elle allait. En chemise à fleurs et joli petit short, Barnabé était calé sous son autre bras.

– Je ne vois pas Piero, a dit Coco. Il n'est pas là.

– Il est peut-être dans l'eau. Ou il arrivera un peu plus tard…

Il y avait aussi énormément de monde dans l'eau. Tout le long du rivage, les gens marchaient, barbotaient, s'éclaboussaient, piaillaient, criaient. Tout en tenant fermement la main de Coco tandis qu'elle-même tenait fermement Barnabé, nous nous sommes mouillé les pieds. La mer était froide et de nouveau écumeuse ; elle était également trouble, chargée du sable qu'agitaient tous les gens.

– Oh, regarde ! a dit Coco.

Un petit chien, qui barbotait comme nous juste à côté de Coco, s'est mis à renifler les pattes de Barnabé.

Coco, qui adore les chiens, a caressé l'animal pendant que je me penchais pour regarder son collier.

– Spencer. Il s'appelle Spencer.

– Bonjour, Spencer, a dit Coco en lui serrant la patte, comme s'il s'agissait d'une main.

Spencer avait une fourrure brun, blanc et gris. Il était tout mouillé et avait la truffe pleine de sable.

– Oooh…, a fait Coco. Et ta barbichette, elle est aussi pleine de sable ?

Spencer a lâché dans l'eau, aux pieds de Coco, la petite balle verte qu'il tenait entre ses dents, et s'est mis à sauter et à aboyer pour qu'elle la lui lance.

– D'accord. Va chercher ! a-t-elle ordonné en lui lançant la balle le long du rivage.

Le petit chien s'est élancé dans les vaguelettes pour la rattraper et l'a rapportée à Coco. Il l'a de nouveau laissée tomber à ses pieds et s'est remis à japper.

– Bon chien, a dit Coco. Allez, va chercher, Spencer !

Elle a lancé la balle dans la direction opposée, pour lui faire une farce. Spencer a sauté dans l'eau, puis a tourné plusieurs fois sur lui-même avant de bondir sur la balle qui avait roulé dans le sable. Comme il la saisissait entre ses mâchoires, le sable l'a fait éternuer.

– À tes souhaits, lui a dit Coco en mettant Barnabé sous son bras.

Puis elle a entrepris de nettoyer le museau du chien tout en lui parlant à l'oreille. Spencer a de nouveau éternué deux fois de suite.

– À tes souhaits, à tes souhaits !

Le petit chien s'est ébroué pour chasser le sable et l'eau de mer, en commençant par la tête, puis en agitant le reste du corps jusqu'à l'extrémité de la queue. Il projetait des grains de sable et des gouttes d'eau salée dans toutes les directions, à la grande joie de Coco qui n'avait jamais rien vu d'aussi amusant.

– Encore, Spencer ! s'est-elle écriée en soulevant Barnabé pour qu'il voie mieux.

Spencer a enfoui dans le sable le côté de sa tête, puis l'épaule, ensuite il s'est roulé sur le dos, exhibant le fin duvet et la peau rose de son ventre. Il battait l'air de ses pattes et se tortillait en tous sens comme pour se gratter le dos. On voyait toutes ses petites dents. On aurait dit qu'il riait.

– Qu'est-ce qu'il y a de drôle, Spencer ? a demandé Coco en s'allongeant sur le dos à côté du petit chien. Qu'est-ce qui t'amuse tant, hein ?

Puis elle a ramassé la balle et l'a lancée encore une fois, du côté opposé à la mer. Spencer s'est remis sur ses pattes et a filé comme une flèche en direction de son jouet. Je me suis retournée pour observer le ciel et les gens qui s'ébattaient dans l'eau et, l'instant d'après, Coco avait disparu.

– Coco ?

J'ai cherché des yeux son maillot de bain rose, bleu et jaune.

J'ai cherché des yeux son chapeau à rayures rouges et blanches. J'ai cherché des yeux la chemise à fleurs de Barnabé. J'ai cherché Spencer et sa balle verte. Et je n'ai rien vu de tout cela. Je n'ai vu que des gens, des gens partout, des grands, des petits, des gros, des maigres, des bronzés, des tout blancs, et des terriblement roses. Je n'ai vu que des bras, des jambes, des pattes, des ventres, des têtes, mais pas ceux de ma petite sœur, ni de son ours en peluche, ni d'un petit chien.

– Coco ! ai-je appelé un peu plus fort. Où es-tu ?

Pas de réponse.

Je suis restée immobile pendant un bon moment, scrutant les environs pour voir si elle ne revenait pas.

Non, personne à l'horizon.

J'étais un peu inquiète. J'avais envie d'aller chercher papa et maman, mais je ne savais pas si je devais bouger.

Et si Coco revenait et que je n'étais plus là ? Que se passerait-il ?

J'étais clouée sur place.

– COCO ! ai-je crié encore une fois de toutes mes forces.

Toujours pas de réponse.

Alors que j'étais sur le point d'abandonner, j'ai aperçu maman et papa qui venaient à ma rencontre. J'ai sauté sur place en agitant les bras pour qu'ils me voient. J'ai couru un peu vers eux, avant de retourner très vite au bord de l'eau, au cas où.

– Coucou, a dit papa. Ça va ?

– Où est Coco ? a demandé maman.

Je leur ai expliqué ce qui se passait :

– J'ai tourné la tête une seconde, et Coco et Spencer avaient disparu.

– Qui est Spencer ? a demandé papa.

– C'est un petit chien. Avec une balle verte. Coco jouait avec lui.

Maman et papa ont scruté la plage depuis le rivage, et j'ai fait comme eux. Ils ont appelé Coco, comme je l'avais fait. Ils voyaient la même chose que moi : des gens partout.

– Qu'est-ce qu'on va faire ? me suis-je inquiétée.

Je me faisais du souci pour ma sœur. Ça ne devait pas lui plaire d'être perdue.

– Ne t'inquiète pas, m'a dit papa. Continue de regarder. Nous allons la retrouver.

J'ai continué de regarder, mais je ne l'ai pas vue. Je ne savais pas si nous allions pouvoir la retrouver ou pas.

– Dans quelle direction est-elle partie ? a dit maman.

– Elle a lancé la balle par là.

– Bien.

– Tu vas aller par là, a dit papa à maman, et moi je vais chercher le long de la plage. Et toi, Flo, tu restes ici. Tu ne bouges pas d'un millimètre.

Je suis restée les pieds dans l'eau, sans bouger d'un millimètre, fouillant du regard la foule dans l'espoir de repérer un chien brun, gris et blanc avec une balle verte, une petite fille blonde en rose, bleu, jaune, rouge et blanc. Mais ils étaient invisibles.

Où que puisse être Coco, j'espérais de tout cœur qu'elle ne soit pas aussi triste, affolée et inquiète que je l'étais.

– Alors ? m'a demandé papa en revenant sur ses pas. Tu as vu quelque chose ?

J'ai fait non de la tête, au bord des larmes. Mais au même moment, j'ai entrevu une boule de poils bruns, gris et blancs qui courait sur la plage.

– C'est Spencer ! ai-je crié à papa avant d'appeler le petit chien. Viens ici, Spencer, viens vite, bon chien !

Spencer s'est précipité vers nous. J'avais vu de loin qu'il n'avait plus sa balle verte entre les dents, mais Barnabé.

Papa l'a saisi par le collier et lui a retiré Barnabé de la gueule. L'ours en peluche était plein de bave, de sable et un peu dépenaillé, mais il était sain et sauf.

J'espérais qu'il en était de même pour Coco.

– Où est Coco ? ai-je demandé à Spencer en passant la main sur sa tête poilue. Qu'en as-tu fait ?

Spencer a aboyé et fait de petits bonds en tentant d'attraper les pattes de Barnabé.

– Où est-elle ? ai-je insisté.

À ce moment, j'aurais tout donné pour que les chiens sachent parler. J'aurais tellement aimé que Spencer puisse me répondre : « Elle est là-bas, derrière ces rochers, elle vous cherche et elle va bien. »

Mais Spencer s'est contenté d'aboyer, de faire des petits bonds et d'essayer de mordiller Barnabé.

Il s'est gratté le ventre avec l'une de ses pattes arrière, puis il a filé.

Je l'ai suivi des yeux et c'est alors que, dans la foule, j'ai enfin aperçu quelqu'un que je connaissais.

– Piero ! ai-je hurlé en agitant les bras.

Piero était en short et casquette bleus, et il portait ses fameuses chaussures amphibies rouges.

– Bonjour, nous a-t-il dit à papa et à moi. Coco vous cherche.

– Où est-elle ? ai-je demandé.

– Tu l'as vue ? a dit papa.

Piero a hoché la tête.

– Elle s'est perdue. Elle est avec ma maman et mon papa. Ils m'ont envoyé vous chercher.

– Ouf, quel soulagement ! a dit papa.

Maman n'a pas tardé à revenir, l'air inquiet, mais quand elle a vu Piero et nos sourires, elle a souri à son tour.

Piero nous a conduits auprès de Coco. Elle pleurnichait un peu et était contente de nous voir. Elle était aussi très contente de revoir Barnabé. Nous nous sommes tous serrés dans les bras.

– Nous nous sommes inquiétés, a dit maman.

– J'ai suivi Spencer, a expliqué Coco. Et après il a volé Barnabé, et après je me suis perdue, et après j'ai trouvé Piero.

– Ça, c'est une chance, a dit maman.

– Oui, c'est vrai, ai-je dit. Tu avais justement envie de le voir aujourd'hui, non ?

– Et heureusement, tu y es parvenue, a conclu papa.

Il a remercié la maman de Piero, ainsi que son père, pour leur aide.

– C'est Piero qui m'a secourue, a dit Coco en posant sa tête sur l'épaule de son ami et en poussant un gros soupir.

– Tu es un héros, Piero, a déclaré papa. Tu as secouru une damoiselle en détresse.

– Une quoi ? a dit Piero.

– Comment tu m'as appelée ? a dit Coco.

– Une damoiselle en détresse, a répété papa. Une jeune dame dans la panade. Une petite fille qui avait besoin d'aide, quoi !

– Ah, a dit Coco, d'accord...

– Ah, a dit Piero, génial...

■■■ CHAPITRE 7 ■

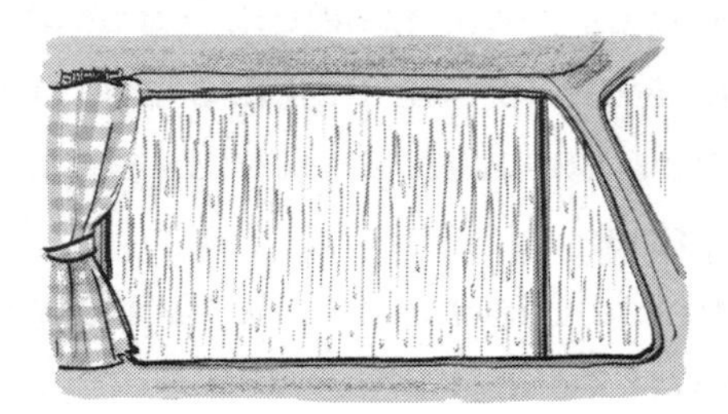

Jour de pluie

Un matin, à notre réveil, le camping-car n'était plus aussi douillet ni lumineux, et il n'y faisait plus aussi bon. Il faisait froid, sombre et on aurait dit qu'on bombardait le toit avec des billes.

Il pleuvait.

– Ah, chouette, a dit papa.

Maman pensait que ce ne serait qu'une averse mais, quand nous avons ouvert les rideaux pour voir, le ciel était vraiment très bas, menaçant et gris. Il n'y avait pas la moindre tache de bleu et le soleil ne semblait pas avoir envie de se montrer. Les tentes, les voitures et les camping-cars avaient tous l'air sinistres, repliés sur eux-mêmes, serrés les uns contre les autres dans le vent et la pluie. Il n'y avait personne dehors. Tout ruisselait.

– Que va-t-il arriver à la plage ? s'est inquiétée Coco.

– Rien, a répondu papa. Elle sera déserte, et mouillée, c'est tout...

– Elle est déjà mouillée, a objecté Coco.

– Bien vu.

– Qu'est-ce qu'on va faire toute la journée ? a-t-elle demandé en étirant ses bras et ses pointes de pied, ce qu'elle fait dès qu'elle s'ennuie, et s'ennuyer est ce que Coco redoute le plus.

– Rien du tout, a répondu papa. Absolument rien.

Coco s'est étirée encore un peu plus et a tendu davantage ses pointes de pied.

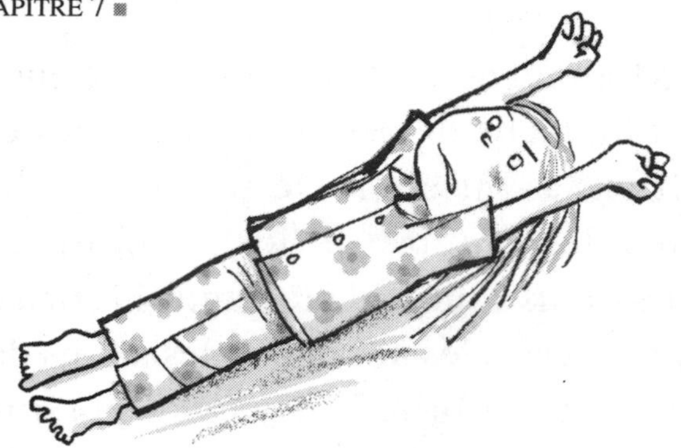

– Ce n'est pas vrai, a dit maman. Il y a des tas de choses à faire.

– Comme quoi ?

– On peut lire, on peut dessiner, écouter de la musique. On peut aller marcher.

– Dehors ? s'est exclamée Coco en montrant du doigt les rigoles de pluie qui striaient les vitres du camping-car.

– Oui, dehors, a confirmé maman. Avec nos k-way et nos bottes en caoutchouc.

– Nous pourrons faire des photos de Barnabé avec d'autres vêtements, ai-je dit. Nous pourrons le photographier en train de déjeuner, de faire la vaisselle, de lire un livre…

– Mmm…, a fait Coco. Oui, peut-être…

– Il y a beaucoup de choses à faire, tu verras, a conclu maman.

Nous avons pris notre petit déjeuner à table, à l'intérieur du camping-car, au lieu de dehors, sur une natte. Il n'y avait pas beaucoup de place ; nous étions coude à coude.

Papa a demandé à Coco d'enlever ses peluches avant qu'il ne s'en charge.

– Je ne tiens pas à m'asseoir sur deux manchots pendant que je mange mes cornflakes.

– Gloria et Patati ne tiennent pas non plus à ce que tu t'asseyes sur eux, a répliqué Coco en les installant sur ses genoux.

Comme elle avait le plus grand mal à atteindre ses céréales avec ses peluches entre elle et la table, elle a renversé sa cuillère de lait sur son pyjama.

– Fais attention, petite maladroite, a dit papa.

Maman a attrapé Gloria, Patati, Blanco et Tintouin et les a posés sur le siège du conducteur.

– Maintenant, ils peuvent faire comme s'ils partaient à l'aventure, ai-je déclaré.

– Bonne idée, a dit Coco. Après le petit déjeuner, j'irai jouer avec eux.

C'était compliqué aussi de s'habiller. Papa s'est cogné deux fois la tête contre le plafond.

– Ouille ! a-t-il dit, déchaînant les rires de Coco. Aïe ! a-t-il dit encore, la faisant s'esclaffer. Ce n'est pas drôle !

Coco lui a gentiment frotté la tête et lui a fait un bisou.

– Si, un petit peu quand même, a-t-elle répondu.

Maman et papa ont fait la vaisselle dans l'évier, tandis que Coco essuyait et que je rangeais les bols. Nous sifflotions en travaillant. Ou plutôt papa sifflait, maman chantonnait, Coco faisait « tralalalalère » et moi je tapais du pied.

– Bon, et maintenant ? a demandé maman.

– Je vais à la serre aux papillons, a décrété Coco.

– Quoi ? a dit papa. Et comment ?

– En voiture ! a-t-elle répondu en s'installant sur le siège du conducteur et en attachant sa ceinture. Avec mes peluches.

– Ah, oui, bien sûr !

– Qu'est-ce que la serre aux papillons ? a demandé maman.

Coco lui a expliqué que c'était un endroit extraordinaire rempli de tous les arbres et de toutes les fleurs que préféraient les papillons.

– Dans la vraie vie, a dit papa, ce serait un massif de buddleia, avec un café et une boutique de souvenirs.

– Qu'est-ce que c'est un buddleia ? ai-je voulu savoir.

– C'est un arbuste que les papillons adorent butiner, m'a expliqué maman.

– On va aller se promener dans la serre, et tous les papillons viendront se poser sur nos mains, notre tête et nos épaules. Ils volent juste sous notre nez, s'est emballée Coco.

– Ça a l'air bien, ai-je dit. C'est amusant.

– Tu veux y aller ? m'a proposé Coco. Allons-y.

Je me suis installée sur le siège passager, à côté d'elle.

– Mets ta ceinture, m'a-t-elle ordonné, comme maman chaque fois que nous montons en voiture.

Ensuite elle a fait semblant de conduire avec toutes les peluches sur ses genoux. Elle faisait des bruits de moteur en tournant le volant à droite et à gauche.

– Tu es une excellente conductrice, l'ai-je félicitée.

– Merci.

– Quand est-ce qu'on arrive ? a demandé papa du fond du camping-car.

Coco s'est retournée et lui a souri.

– Dans cent quarante-deux heures !

– Parfait. J'ai largement le temps de lire mon livre.

Coco a joué à conduire pendant des heures.

J'ai soufflé sur ma vitre pour écrire mon nom sur la buée et dessiner des cœurs, des papillons et des étoiles.

Soudain, j'ai eu une idée.

– Je sais, Coco ! Nous allons réaliser une vraie serre aux papillons.

Coco n'a pas quitté la route des yeux.

– Comment ça ?

Je me suis penchée pour le lui expliquer au creux de l'oreille.

– Oooh ! s'est-elle écriée avant d'imiter le crissement déchirant des freins.

– Nous sommes arrivés ? a demandé maman.

– Pas encore, a répondu Coco.

– Presque, ai-je dit. Maman, nous avons besoin de ton aide.

– Pour quoi faire ?

– C'est un secret, lui a dit Coco.

– Très bien, a dit papa. Comme ça je vais pouvoir aller lire au lit.

– Merci, lui ai-je dit.

– Tout le plaisir est pour moi, m'a-t-il répondu avec un large sourire.

Papa a grimpé dans son lit. On l'a entendu remuer pour se trouver une position confortable : il n'y avait pas beaucoup d'espace entre lui et le toit.

– Ça va, là-haut ? a demandé maman. Tu y vois quelque chose ?

– Impeccable ! Je vois parfaitement bien si j'arrive à garder les yeux ouverts.

Maman a souri et nous a chuchoté :

– Dans cinq minutes, il dormira.

Maman nous a aidées à sortir nos stylos et le papier de nos sacs rangés dans le placard. Elle a trouvé des ciseaux et elle avait même pensé à emporter de la colle, du ruban, des autocollants.

– Pour les jours de pluie, a-t-elle dit.

– Quelle chance ! s'est réjouie Coco.

– Est-ce qu'on a un peu de coton ? ai-je demandé.

– Du coton ? s'est étonnée Coco.

– Du fil de coton. Pour accrocher…

Maman ne pensait pas en avoir, mais nous a proposé d'aller en acheter à la petite boutique du camping quand nous aurions fini.

– Ce sera notre promenade, a dit Coco.

– Oui, on en trouvera certainement, a assuré maman.

– Et des glaces à l'eau, a suggéré ma sœur. Ils en ont sûrement.

– Crois-tu ?

Coco a hoché vigoureusement la tête.

– Alors on en achètera peut-être, a répondu maman.

Coco a souri de bonheur.

Nous nous sommes installées autour de la table et avons fabriqué des papillons.

Voici comment nous avons procédé.

Maman déchirait des morceaux de papier de tailles différentes. Moi, je les pliais en deux et dessinais un demi-papillon d'un côté. Coco, qui adorait se servir des ciseaux, s'était chargée du découpage. Elle découpait les demi-papillons en suivant très précisément le trait et, lorsqu'elle dépliait le papier, un papillon entier apparaissait. Ensuite, nous les avons coloriés, décorés, jusqu'au moment où nous nous sommes retrouvées avec des dizaines et des dizaines de papillons posés sur la table.

– Écoutez, nous a dit maman alors que nous étions en plein travail.

Coco a cessé de découper, maman a cessé de déchirer et j'ai cessé de colorier.

Nous avons écouté.

Papa ronflait tout doucement.

– On dirait un petit cochon, a commenté Coco.

Nous avons enfilé nos k-way le plus silencieusement possible, ce qui était très difficile.

– Chut ! a fait maman.

Coco lui a répondu que c'était impossible de ne pas faire de bruit.

– Les k-way sont toujours très bruyants, a-t-elle chuchoté.

Nous avons mis nos bottes en caoutchouc et sommes sorties par la portière avant, car elle grinçait moins que la coulissante. Puis nous nous sommes dirigées vers la boutique du camping en marchant dans l'herbe détrempée. Nos bottes faisaient un bruit de ventouse à chaque pas et soulevaient de

petites gerbes d'eau. La pluie tambourinait gentiment sur nos blousons et nous picotait le visage.

Le magasin était vraiment minuscule et rempli de tout ce qu'on a pu oublier d'emporter en vacances, comme les piles, les sachets de thé, le jus d'orange, les croquettes pour chien et le fil à coudre. Maman en a acheté une bobine et nous a proposé une glace à l'eau si cela nous faisait plaisir.

– Il fait trop froid, lui avons-nous répondu.

– Je préférerais un chocolat chaud, lui a dit Coco.

Maman a donc acheté aussi de quoi préparer un chocolat chaud sur le minuscule réchaud et avec la minuscule bouilloire.

Nous sommes retournés au camping-car sous la pluie battante en pataugeant dans l'herbe mouillée.

Papa ronflotait toujours.

– Il dort comme un loir, a dit maman.

– Oui, ai-je répondu, et quand il se réveillera, il sera dans la serre aux papillons.

Nous avons attaché les papillons à des fils que nous avons ensuite suspendus dans tout

le camping-car, aux poignées des portières, au plafond, au rétroviseur et au volant. Aux placards, aux crochets des fenêtres, aux sièges et au robinet. Coco en a attaché aux oreilles de Barnabé, à Gloria, à Patati, à Blanco et à Tintouin. Nous nous en sommes mis dans les cheveux. Bref, nous en avons mis partout.

Le camping-car bruissait des papillons qui dansaient et battaient des ailes. Dès que nous bougions, ils bougeaient également. Si nous soufflions dessus, ou agitions la main, ils s'animaient et frémissaient.

Maman a fait du chocolat chaud pour Coco et moi, et du thé pour elle et pour papa, tandis que les papillons se balançaient lentement dans la vapeur de l'eau qui bouillait. Puis elle est montée réveiller papa.

– On se réveille. Debout, debout…

Papa est descendu, le visage tout chiffonné, les cheveux en bataille et les yeux bouffis.

À chacun de ses pas, les papillons voletaient, plongeaient, tournoyaient. Il a regardé autour de lui avec émerveillement.

– Je suis encore en train de rêver ?

– Non, non, a répondu Coco en exécutant sa petite danse des mains.

– Alors, où suis-je ?

– Dans la serre aux papillons, a répondu Coco. Nous l'avons faite spécialement pour toi.

CHAPITRE 8

Coco et Barnabé

Le jour de la rentrée, après les vacances, Coco s'est levée, habillée et a pris son petit déjeuner beaucoup moins vite que d'habitude.

Quand maman l'avait réveillée, elle lui avait répondu qu'elle avait encore sommeil et s'était retournée vers le mur pour essayer de se rendormir.

Nos uniformes pour l'école étaient pliés sur nos lits et nos brosses à cheveux bien en évidence, mais Coco est descendue prendre son petit déjeuner en pyjama et les cheveux en pétard.

– Bonjour, lui a dit maman. Tu es superbe.

Coco a émis une espèce de grognement.

– Pas prête…

– Oui, pourquoi se presser ? est intervenu papa tandis que Coco mettait des grains de riz soufflés dans sa bouche, un par un, aussi lentement qu'un paresseux.

Elle tenait à peine les yeux ouverts.

– On ne se presse pas, ai-je rétorqué.

– Tu es fatiguée ? a demandé maman à Coco qui n'a pas répondu.

– Tu vas bien ? lui a demandé papa.

Coco a haussé les épaules.

– Normalement, tu aimes bien arriver en avance à l'école, lui ai-je dit.

– Tellement en avance que l'école est fermée, a dit papa. Tellement en avance qu'il n'y a encore personne.

Coco l'a foudroyé du regard par-dessus sa cuillère.

– Les maîtresses sont là. Les maîtresses ont le droit d'arriver en avance à l'école.

– Elles en ont de la chance ! a dit papa.

Coco a introduit un grain de riz soufflé dans sa bouche.

– En tout cas, si tu restes en pyjama tu ne risqueras pas d'arriver en avance, a dit maman.

Coco a haussé les épaules.

– Je n'ai pas envie d'arriver en avance. Je n'ai pas envie d'aller à l'école.

Maman a arrêté de sourire, papa a arrêté de tourner son café et moi de beurrer ma tartine.

C'était bien la première fois que Coco disait qu'elle ne voulait pas aller à l'école.

– Tu peux répéter ? a demandé papa.

– Je n'irai pas à l'école, a répété Coco en posant sa cuillère et en contemplant les grains de riz qui flottaient à la surface de son bol.

– Eh bien, c'est dommage, a dit maman en se levant de table pour aller ouvrir le réfrigérateur. J'allais justement ajouter ton yaourt préféré au casse-croûte que tu vas emporter pour midi.

Coco a jeté un regard sur le yaourt avant de hausser de nouveau les épaules.

– Je n'irai pas.

– Mais pourquoi donc, Coco ? lui ai-je demandé.

– Je n'en ai pas envie.

J'ai regardé Coco, maman a regardé papa et papa m'a regardée.

– Ah, là là..., a dit maman.

– Je ne savais pas que c'était aussi simple, a dit papa.

– Quoi ? a dit Coco.

– De ne pas faire les choses. Je ne savais pas qu'il suffisait de ne pas en avoir envie.

– Qu'est-ce que tu veux dire ? ai-je voulu savoir.

Papa a levé les bras pour s'étirer.

– Je ne vais pas travailler aujourd'hui.

– Pourquoi donc ? a demandé maman.

– Parce que je n'en ai pas envie, a répliqué papa en haussant les épaules.

– Bon, eh bien, je crois que je ne vais rien faire non plus de la journée, a renchéri maman. Je ne vais rien faire du tout. Je ne ferai à dîner pour personne.

– Pourquoi donc ? a demandé papa.

– Je n'en ai pas envie, a répondu maman en souriant.

– Et toi, Flo ? a dit papa. Qu'est-ce que tu ne vas pas faire aujourd'hui ? Ne vas-tu pas prononcer le mot banane une centaine de fois ? Ne vas-tu pas manger de carottes ? Ne vas-tu pas sauter à cloche-pied en battant des bras au lieu de marcher sur tes deux jambes ?

– Non. Je ne vais rien faire de tout cela.

– Pourquoi donc ? Tu n'en as pas envie ?

Cela n'a même pas fait sourire Coco qui tortillait une mèche de cheveux d'un air sombre.

– Sais-tu, lui a demandé très sérieusement papa sur le ton de la confidence, que le fait de ne pas aller à l'école est puni par la loi ?

– Non.

– Eh bien, ça l'est. Et si tu ne vas pas à l'école, ils vont envoyer un policier à la maison pour arrêter ta mère.

Coco a regardé maman, puis m'a regardée en tournicotant ses cheveux frénétiquement.

– Arrête, a dit maman à papa.

– Je n'en ai pas envie, a répondu papa.

Maman lui a de nouveau demandé d'arrêter.

– Je ne crois pas que ce soit vrai, suis-je intervenue. N'est-ce pas que ce n'est pas vrai, maman ?

– Ce n'est pas vrai. Alors ne t'inquiète pas et, toi, finis ton petit déjeuner.

J'ai posé mon assiette dans l'évier, tandis que Coco buvait une petite gorgée de son jus d'orange et s'essuyait la bouche sur sa manche.

– Viens avec moi, lui a dit maman en lui tendant la main pour l'emmener au premier. On va voir ce qu'on peut faire.

Je me suis lavé les dents, j'ai rangé mes livres et mes stylos dans mon sac où j'ai ajouté mon casse-croûte de midi et ma boisson. Puis je suis allée attendre devant la porte d'entrée. Maman et Coco étaient très longues à revenir. Au bout d'un certain temps, j'ai commencé à regarder mon poignet, et j'aurais vu l'heure si j'avais eu une montre.

– Allez, dépêchez-vous !

– Je crois que nous sommes prêtes, a dit maman en descendant l'escalier.

Coco la suivait à une allure d'escargot. Elle était habillée, coiffée et tout à fait prête, mais elle n'avait pas l'air contente.

– Tu as tout, Coco ? ai-je vérifié.

Coco a haussé les épaules.

– On y va.

Ça m'a fait plaisir de retourner à l'école car cela faisait un temps fou que nous n'y étions pas allées. Tout me paraissait nouveau en chemin, même ce que nous avions déjà vu mille fois. Nous avons tourné au bout de notre rue, grimpé la colline, franchi le pont du chemin de fer et nous étions presque arrivées. De nombreux enfants se dirigeaient également vers l'école, accompagnés de leur maman et de leur papa. Ils étaient tous propres comme des sous neufs et très excités par la rentrée des classes. Tous sauf Coco. Elle traînait les pieds et marchait à tout petits pas, refusant d'accélérer même quand maman le lui ordonnait.

– Allez, Coco, avance. Tu vas être en retard.

– Dépêche-toi, l'ai-je encouragée. Ou on te laisse…

– Toute ta classe va être tellement contente de voir ce que tu as fait cet été avec Barnabé, a ajouté maman.

Coco s'est arrêtée net.

– Qu'y a-t-il ?

– Tu as pris Barnabé ? ai-je demandé.

Coco a secoué la tête.

– Tu l'as laissé à la maison ? me suis-je exclamée.

– Non ! Tu n'as pas fait ça ? s'est écriée maman.

Coco a hoché la tête.

– Si, ai-je répondu à sa place.

– Et toutes les photos aussi ? a demandé maman. Toutes tes jolies photos ?

Coco a de nouveau hoché la tête.

– Oh, non…, a dit maman.

Les yeux de Coco sont devenus infiniment tristes, ses sourcils ont rosi et son menton a commencé à trembloter. Coco a le menton qui tremblote quand elle se retient de toutes ses forces de pleurer.

Pauvre Coco. Pendant toutes les vacances, elle s'était occupée de Barnabé. Elle avait pris soin de lui dans le camping-car, l'avait séché à la plage, et avait emporté Gloria, Patati, Blanco et Tintouin pour lui tenir compagnie. Elle lui avait montré la mer, construit un château, l'avait laissé toucher une glace à l'eau et photographié tous les jours pour ses camarades de classe. Elle ne l'avait pas oublié une seule fois.

Jusqu'à aujourd'hui.

J'étais très triste pour elle.

– Qu'allons-nous faire ? me suis-je inquiétée. Nous retournons le chercher ?

Maman a regardé sa montre.

– Je ne crois pas que nous ayons le temps.

– Et en courant ? ai-je proposé.

– Oui, peut-être, si on se dépêche.

– Je n'y vais pas, a répliqué Coco d'une voix rauque.

– Tu ne vas pas où ? ai-je demandé. Chercher Barnabé ou à l'école ?

– Ni l'un ni l'autre.

– Tu es obligée, a dit maman.

Coco a secoué la tête avec obstination et s'est arrêtée.

– Je n'y vais pas. Je reste ici.

– Pourquoi ? ai-je voulu savoir.

Coco a haussé les épaules.

Maman a pris une profonde inspiration.

– Coco, tu ne peux pas faire ça.

Coco s'est un peu plus raidie, a tendu le menton en avant et fermé les yeux. Parfois, quand on dit quelque chose à Coco qu'elle ne veut pas entendre, elle ferme les yeux et fait comme si vous n'étiez pas là. Maman a horreur de ça.

– Gare à toi, Coco ! a prévenu maman.

Coco a fermé les yeux encore plus fort.

– Je compte jusqu'à trois...

Je détestais quand maman comptait jusqu'à trois. Il fallait que je trouve quelque chose très vite.

– Je sais. J'ai une idée !

Maman s'est arrêtée de compter et Coco a cessé de fermer les yeux, et elles m'ont toutes les deux regardée.

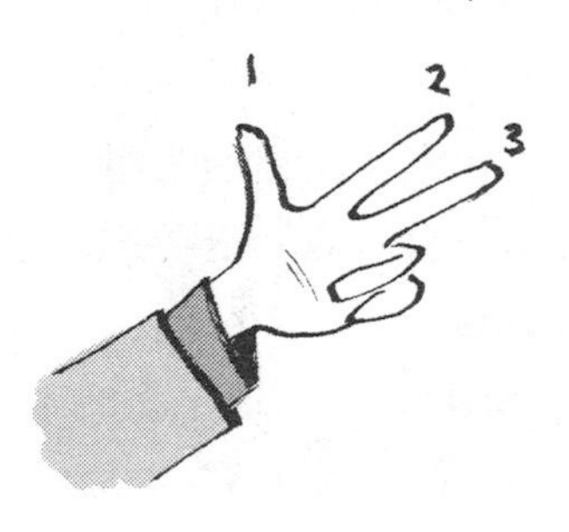

– Si nous gardons Barnabé un jour de plus à la maison, nous pourrons lui organiser une petite fête pour son départ.

Coco a contemplé ses pieds.

– Bonne idée, a dit maman. Continue.

– Eh bien, nous pourrions lui faire une bannière, un gâteau, pour lui dire au revoir comme il faut. Il a passé tout l'été avec nous. Et je sais qu'il va beaucoup manquer à Gloria, Patati, Blanco et Tintouin.

– Moi aussi, il va me manquer, a reconnu Coco.

Ses yeux étaient tout tristes, et sa bouche une fine ligne blanche.

Et j'ai soudain compris pourquoi Coco ne voulait pas aller à l'école. Et j'ai compris aussi pourquoi elle avait laissé Barnabé à la maison.

Coco ne l'avait pas oublié, c'était évident. Elle ne l'avait pas oublié de tout l'été. Elle ne voulait pas le rendre, tout simplement.

Elle ne voulait pas lui dire au revoir.

– Ne t'inquiète pas, Coco, l'ai-je rassurée.

Nous allons lui organiser une belle petite fête. Et tu le retrouveras tous les jours à l'école.

Les pieds de ma petite sœur se sont décollés du trottoir. Elle a reniflé, un peu souri et s'est approchée lentement de nous.

– Nous ferons une petite fête ?

– Oui, lui a répondu maman en la serrant dans ses bras.

Nous avons fait le reste du chemin jusqu'à l'école derrière Coco.

– Bien joué, Flo, m'a chuchoté maman en me prenant la main.

Maman a expliqué à Naïma, la maîtresse de Coco, que Barnabé n'était pas encore tout à fait prêt à nous quitter, mais qu'il serait présent à l'école dès le lendemain matin, avec ses photos de vacances.

– C'est parfait, a répondu Naïma, tandis que Coco souriait de soulagement. Il doit avoir besoin de se reposer un peu après ses vacances très chargées.

– Oui, c'est ça, a confirmé Coco.

Cet après-midi-là, lorsque nous sommes rentrées de l'école, nous avons confectionné une bannière pour Barnabé : « AU REVOIR, BARNABÉ ». Nous avons collé bout à bout assez de feuilles de papier pour pouvoir écrire toutes les lettres et nous les avons suspendues dans la cuisine.

Maman nous a déniché dans le placard des assiettes en carton, des gobelets et des serviettes en papier spéciales fête, qui restaient de l'anniversaire de Coco. Nous avons eu de petits sandwiches, des biscuits et du lait. Coco a fait une place à table pour Gloria, Patati, Blanco et Tintouin. Elle a installé aussi Barnabé sur une chaise avec tous nos coussins pour qu'il soit à la hauteur.

– Serait-ce l'anniversaire de quelqu'un ? a demandé papa quand il est rentré du travail. L'aurais-je oublié ?

– Non, non, lui ai-je répondu.

Et Coco s'est chargée de lui expliquer qu'on disait simplement au revoir à Barnabé.

– Ah ! a dit papa en caressant l'oreille de Barnabé et en faisant un bisou à Coco. Au revoir, Barnabé.

– Au revoir, papa, a dit Coco en prenant sa grosse voix de petit ours. Au revoir, tout le monde.

Après des études de littérature, **Jenny Valentine** a exercé divers métiers tout en commençant à écrire. *Ma rencontre avec Violet Park*, son premier roman pour adolescents publié en France à l'École des loisirs, a remporté le prix Guardian de la fiction. Jeune auteur et mère de famille, elle écrit aussi pour les jeunes lecteurs des histoires aussi justes que tendres et fantaisistes. « La plupart des histoires que je raconte, écrit Jenny Valentine, s'inspirent de souvenirs d'enfance et de ma vie de famille avec mes deux filles, lesquelles, comme Flo et Coco, comme tous les enfants du monde, en vérité, peuvent être à la fois calmes, sages, turbulents, avoir des idées bien arrêtées ou originales. Il arrive tous les jours des choses amusantes dans une famille heureuse, et ce fut un réel plaisir de les raconter dans ce livre. »

Joe Berger a grandi à Bristol, où il a fait des études d'art graphique avant de s'installer à Londres en 1991. Il travaille en freelance comme illustrateur et réalisateur de films d'animation, et participe au scénario et à la mise en images d'une bande dessinée hebdomadaire pour le *Guardian*. Son premier album, *Bridget Fidget*, a été particulièrement remarqué. Joe Berger habite à Bristol avec sa femme et ses trois filles.